배우에게 필요한 7가지 문장

배우에게 필요한 7가지 문장

- 연기술 핵심노트 -

오정훈 지음

BOOKK

목차

프롤로그

- 왜 연기가 늘지 않는가?

현재 한국에는 연기교육을 받을 수 있는 수많은 곳이 존재한다. 수십 개의 연극영화과 개설 대학교, 수백 개의 연기학원, 여기에 개인과외까지 더한다면 실로 엄청난 숫자다. 그뿐만 아니라 이제는 선진화된 연기교육의 본고장인 해외 유학을 가는 정보도 많이 공개되어 있으며, 한국의 연기 교육자들의 코칭 실력도 과거에 비해 평균적으로 상향 평준화되어 있다. 이처럼 연기를 배울 수 있는 환경은 점점 좋아지고 있는데, 왜 많은 배우 지망생이 오디션 또는 입시에서 여전히 자신의 매력과 기량을 펼치지 못한 채 헤매고 있을까? 그들의 과정을 살펴보겠다.

많은 배우 지망생이 연극영화과 입시를 준비하기 위해 평균 1~2년간 입시연기학원을 다닌다. 어렵게 대학에 입학하여 2~4년간의 전공 과정을 마치고, 현장에 나가기 위해 또 방송연기학원까지 다닌다. 그러나 대부분 현장에서 요구하는 연기력 수준에 미치지 못하여 좌절하고 만다. 각자만의 연기적 매너리즘에 빠져 한 단계 더 높은 성장을 이루지 못하고 있다. 그로 인해 오디션 합격은 늘 극소수의 상위 실력 포식자들만의 리그가 된다. 이러한 효율성이 떨어지는 배움의 악순환은 '연기의 본질'에 대한 명확한 기본명제 없이, 조각조각 난 연기에 대한 개념으로 인한 모호함과 그날그날 자신의 감에만 의존하려는 게으름 때문이다. 그렇다면 우리는 앞으로 어떻게 해야 할까?

연기에 정답은 없다. 그러나 이 말의 함정에 빠져, 어떻게 연기하든 '나 자신이 정답이 될 수 있다'라고 오해하면 안 된다. 연기에도 보다 효과적으로 인물에 다가갈 수 있는 다양한 연기 방법론이 존재한다. 그렇기에 연기 방법론에 대한 훈련이 체화되어 있어야 '감'으로 연기하지 않게 된다. 현장은 시간이 곧 돈이다. '감'에 좌지우지되는 불안정한 배우는 신뢰받지 못한다. 현장은 맡은 역할에 책임을 질 수 있는 안정적인 연기 기술자를 원한다.

배우 지망생이 연기 기술자가 되기 위해서는 다양한 연기 방법론에 대한 학습이 필요하다. 이 부분에 있어 많은 연기 교육자가 동의하고 있으며, 좋은 커리큘럼을 가진 교육기관이라면 1가지 방법론을 고수하지 않고 다양한 연기 방법론을 배울 수 있도록 구성되어 있다. 그런데도 많은 교육생이 여전히 연기적 매너리즘에서 벗어나지 못하는 이유는 연기 방법론을 어렵게만 느끼고, 이를 실제 연기연습에서 '자기화'하여 적용하지 않기 때문이다.

현재까지 전 세계적으로 유용하게 활용되고 있는 연기 방법론은 모두 해외에서 유입되었기에, 우리나라의 정서에 맞지 않거나 혹은 어렵게 느껴질 수도 있다. 그러다 보니 이론은 이론일 뿐이라고 치부하며, 결국 '감'에 의존하여 연습하는 배우 지망생이 아직도 많다. 연기는 실기 중심으로 이뤄져야 하지만, 이론에 대한 학습도 중요하다. 이론은 앞으로 나아가야 할 방향성을 제시해 주고, 실패를 줄여 줄 수 있는 지혜가 되기 때문이다.

따라서 이 책은 딱딱한 이론으로만 느껴질 수 있는 다양한 연기 방법론을 마치 누군가의 일기장을 보듯이 쉽게 읽히고 이해할 수 있도록 구성했다. 필자는 각 연기방법론에서 반드시 알아야 할 핵심 가치만 제시하여 '어떠한 방향성으로 연습해야 하는지' 명확하게 이해시키는 것이 목적이다. 그뿐만 아니라 이론을 체화할 수 있는 핵심 훈련을 매장마다 제시하여, 책을 통해 스스로 훈련할 수 있도록 돕고 있다.

책은 전 세계적으로 활용되고 있는 주요 연기 방법론의 각 핵심 문장을 이야기하고 있으며 스타니슬랍스키, 리 스트라스 버그, 스텔라 애들러, 샌포드 마이즈너, 미카엘 체홉, 그로토프스키, 메이어홀드, 뷰포인트 연기 방법론 등을 다뤘다. 기초가 필요하고, 무엇을 어떻게 연습해야 할지 갈피 잡기 어려운 배우 지망생에게 '가장 쉽고 실용적인 기초 연기론'이 되길 바라는 마음으로 집필했다.

필자 역시 한없이 부족함이 많은 배우이기에, 누군가를 가르치며 끊임없이 공부하고 보완해 나가는 중이다. 나의 실패와 경험이 7가지의 핵심 문장을 통해 배우를 꿈꾸는 사람들에게 작게나마 도움이 된다면 더할 나위 없이 행복할 것 같다. 배우를 향해 도전하는 모든 사람을 진심으로 응원한다.

1. 머리가 아닌 가슴으로 행동해라

One thing, 행동

Diary.

Pm. 4시 27분. 나는 급하게 연습실로 향했다. 오늘 저녁 6시에 독백 발표가 있는 날인데, 하필이면 주말이라 포장 손님이 많았다. 정신이 하나도 없었다. 그래도 어젯밤 늦게까지 연습하면서 영화 속 독백 장면도 찾아봤다. 확실히 실제 프로 배우가 연기한 장면을 보니 독백 전체의 전반적인 정서 흐름과 분위기가 잘 파악되었다. 심지어 보면서 눈물까지 고이고, 인물의 마음에 더욱 공감할 수 있었다. 다시 대사를 보니 한층 더 욕심이 생겼다. 잘하고 싶다. 동료들에게도 내 연기를 어서 보여주고 싶다.

코치 : 언화, 왔니? 마침 곧 네 차례야

언화 : 네, 바로 준비할게요

'자, 호흡을 가다듬자, 보여주는 거야. 어제 그 느낌을 떠올려 보자. 6년간 사랑했던 남자친구의 바람. 얼마나 배신감이 처절하게 들까? 죽여버릴 테다. 죽여버릴 거야!'

코치 : (카메라로 언화를 촬영하며) Ready, Action!

언화 : "어떻게 네가 나한테 그럴 수가 있어?"
"거짓말이라고 해" "거짓말이라고 이야기하라고!"
"나 다 들었어..."

코치 : 컷. 언화야, 어떻게 연습한 거야?

언화 : 대사 외우고 고민하면서... 어제 영화도 직접 찾아보며 공부했어요!
아 근데 뭔가, 방금 했을 때 톤이 좀 이상하게 표현된 것 같아요. 어제 그 느낌이 아니었는데...

코치 : 우선, '사랑하는 연인의 배신'이라는 상황 속에서 인물의 목표가 전혀 느껴지지 않았어.
화를 내는 듯한 말투만 유지된 채, 어떠한 감정적 변화도 없었고

언화 : 네... 뭔가 어렵네요. 상황은 머릿속으로 완전 이해가 갔는데...

코치 : 네가 인물의 행동을 찾지 않고, 다른 배우의 연기를 보며 머리로만 이해한 채, 그것을 느낌대로 표현하려 해서

그래.
배우는 무언가를 단순히 느끼고 표현하는 사람(feeler)이 아니라 주어진 상황 속에서 인물로서 행동하는 사람(actor)이야.

3 Solutions.

위와 같은 상황은 많은 배우 지망생이 가장 흔하게 하는 실수 중 하나다. 이미 프로 배우가 인상적인 연기를 보여준 장면을 보고 연습하는 방식은 연기 입문자에게는 좋지 않다. 이럴 경우, 대사를 근거로 인물의 행동을 발견하는 데 집중하지 않고 자신의 느낌을 표현하는 데 애를 쓰게 된다. 누군가가 이러한 부분을 콕 짚어서 이야기 해줘도, 이미 장면에 대한 틀이 확고하여 '나'라는 사람의 해석과 창조가 어려워진다.

다음 3가지는 연기방법론의 바이블이라고 불리는 '스타니슬랍스키-신체 행동법'의 핵심을 다룬 내용이다. 연기에 정답은 없지만, 연습의 효율성을 높여줄 수 있는 방법은 존재한다. 아래 3가지 순서대로 연기에 접근해보자.

첫째, 감정을 호소하려 하지 말고 목표를 원해라

목표란 인물이 원하는 행동이다. 예를 들어, A라는 인물이 아주 추운 날 밖에서 길을 잃은 상황이다. 이때 A의 목표는 무엇인가? 그렇다. '나는 따뜻한 집으로 돌아가고 싶다'가 목표일 것이다. 이처럼 목표는 동사 형태의 한문장으로 명확하게 규정할 수 있어야 한다. 필자의 경우는 '나는 ~하고 싶다' / '나는 ~하길 원한다'의 문장으로 인물의 목표를 규정한다. 이때 주의해야 할 점은 명확한 대상이 있어야 한다. 대상은 상대방 / 자신 / 사물 / 사회 / 상황 등 무엇이든 가능하다.

목표를 설정했다면 진심으로 원해야 한다. 간혹 목표 자체를 또 표현하려고 하는 경우가 있다. 꼭 기억하라. 인물의 입장에서 원하고 갈망해라.

둘째, 구체적인 상황 속에서 장애물을 극복해라

극 중 등장하는 모든 인물은 각자만의 목표를 갈망하고 있다. 만약 이들의 목표가 쉽게 이루어진다면, 극은 더 이상 진행되지 않고 금세 막을 내릴 것이다. 인물의 목표는 주어진 환경, 인물 간의 관계, 심리적 갈등 등 여러 복합적 상황으로 인해 단번에 이뤄지지 않는다. 그렇기에 인물은 자신의 목표를 달성하기 위해서 끊임없이 극 안에서 행동하게 된다. 이때 발생하는 행동이 대사(언어적 행동)와 신체적 행동으로 표현된다. 그렇다면 보다 인물을 입체적으로 표현하기 위해서는 어떻게 해야 할까?

바로 인물의 처한 상황을 구체화하여 장애물을 찾고, 그것을 극복하는 데 전력을 다하는 방법이다. 예를 들어, A라는 남성이 B라는 여성에게 고백하는 상황이다. A의 목표는 무엇일까? '나는 B와 연애하고 싶다'일 것이다. 이때 만약 A와 B가 버스 안이고 다음 정거장에서 B가 곧 내려야 하는 구체적인 상황이라면 어떨까? 또 A가 여자한테 말 거는 것을 어려워하는 소심한 성격이라면 어떤 사건이 생길까? 훨씬 더 극적인 연기가 펼쳐질 수 있을 것이다.

잊지 말자. 풍성한 연기를 하고 싶다면, 표현을 과하게 하는 것이 아닌 인물의 상황을 구체화하여 장애물을 극복하려 해야 한다.

셋째, 행동의 악보를 그려라

인물의 목표에도 대/중/소가 있다. 조금 더 쉽게 이야기하면, 작품 전체를 관통하는 인물의 초목표(대), 현재 장면에서 인물의 목표(중), 지금 당장의 목표(소)이다. 인물의 초목표는 곧 캐릭터의 본질을 규정한다. 예를 들어, 영화<명량>에서 이순신 장군의 초목표가 "나는 내가 사랑하는 것들을 지키며 살고 싶다"라면, 왜군과 전쟁하는 장면에서는 "나는 왜구의 침략에서 조국을 지키고 싶다" 일 것이고, 지금 당장의 목표는 "나는 왜군의 배를 박살 내고 싶다"로 선택할 수 있을 것이다.

이처럼 캐릭터마다 강렬히 원하는 욕망(초목표)이 존재하며, 각각의 욕망은 인물 간의 관계, 주어진 환경, 장애물 등에 따라 서로 충돌하기도 하고 강화되기도 한다. 그럼에 따라 목표는 좌절되기도 하고 이루어지기도 한다. 우리는 이러한 행동의 변화를 '비트가 변한다'라고 표현한다. 연기에서 말하는 비트란, 최소한의 행동 단위를 뜻하며 인물의 가장 작은 단위 목표로 이해하면 쉽다.

모든 인물은 목표를 원하며, 장애물을 극복하기 위해 움직인다. 우리의 삶처럼 인물의 삶도 하나의 굴곡 같은 선이 존재한다. 스타니슬랍스키는 이러한 인물의 선을 '관통선'이라고 표현했다. 이 선은 마치 음표 하나하나가 모인 악보처럼 인물의 행동이 모인 하나의 행동 악보와 같다. 배우는 대본을 해석하고 창조하여 맡은 역할의 행동 악보를 그려낼 수 있어야 한다.

Conclusion.

지금까지 배우가 연기함에 있어서, 반드시 기억해야 할 3가지를 살펴봤다.

1) 목표를 원해라

2) 장애물을 극복해라

3) 행동의 악보를 그려라

위 3가지를 자신의 연기에 적용하기 위해서는, 반드시 머리를 통한 차가운 분석과 실제로 체화하려는 뜨거운 의지가 함께 있어야 한다. 배우의 분석 작업은 카페가 아닌 연습실에서 발로 움직이며 찾아야 한다. 그랬을 때 분석 따로 연기 따로가 아닌, 실질적으로 배우 자신을 자극하는 분석을 할 수 있게 된다.

기억하자. 배우는 이성적인 분석만으로는 연기할 수 없다. 결국 자신의 직관을 믿고 가슴으로 행동해야 한다. 이 과정까지 도달하기 위해서는 숱한 시행착오가 있어야 하며, 다양한 연기방법론에 대한 학습이 필요하다. 아래 훈련은 그중에서도 이번 장의 핵심을 다룬 연습 방법이다. 꼭 해보자.

핵심 훈련1. 목표를 찾고 갈망하기

현재 자신의 주변에 있는 사물 3가지를 고른다. 볼펜, 의자, 가방 등 무엇이든 좋다. 사물 3가지를 선택했으면, 자신의 적정거리 앞에 둔다. 이제 각 사물을 보고 즉흥적으로 원하는 목표 5가지씩 행동으로 실행한다. 이때 '나는 OO를 ~하고 싶다'와 유사한 문장으로 원하는 목표를 명확하게 설정한 뒤, 말하며 움직여야 한다. 훈련을 통해 다시 한번 되뇌자. 배우는 반드시 목표를 진실하게 원해야 한다.

ex) 볼펜

'나는 볼펜을 줍고 싶다.'

'나는 볼펜을 바닥에 던지고 싶다.'

'나는 볼펜으로 종이에 삼각형 모양을 그리고 싶다.'

'나는 볼펜을 주머니에 넣고 싶다.'

'나는 볼펜을 깨끗하게 닦아주고 싶다.'

핵심 훈련2. 장애물 극복하기

아래 상황을 녹화하며 즉흥적으로 연기한다. 이후 제시된 장애물을 추가하여 극복하는 모습을 재녹화한다. 장애물이 추가됨에 따른 구체적인 상황에 놓였을 때 어떠한 연기적 변화가 생기는지 비교·분석 해보자.

<상황>

방 안에서 편하게 휴식을 취하던 중, 바퀴벌레가 나타났다.

나는 벌레 공포증이 있어, 스스로 잡지 못한다.

<장애물>

방문이 잠겨서 열리지 않는다.

핵심 훈련3. 행동의 악보 찾기

아래 제시된 <상황>을 휴대폰 카메라로 녹화하며 연기한다. 녹화본을 보며 자신이 했던 말을 노트에 적어 대본화한다. 그리고 대본을 암기한 뒤, 다시 같은 상황을 녹화하며 연기한다. 최종 녹화본을 보며 <분석 노트>를 작성하고, 끝으로 <체크리스트>를 통해 자신의 연기를 평가한다.

<상황>

방에서 혼자 잠시 넷플릭스를 보고 있다. 부엌에서 무언가 움직이는 소리가 들린다. 분명 나 혼자만 집에 있을 시간이다. 휴대폰도 부엌에서 충전시키던 중이었다. 30분 뒤에 저녁 아르바이트를 하러 출근해야 한다.

<분석 노트>

1. 목표 :

ex) 나는 평화로운 저녁을 보내고 싶다.

2. 장애물 :

ex) 주거침입자 or 초자연적인 존재

3. 행동의 악보 :

ex) 나는 넷플릭스로 지루함을 달래고 싶다 -> 나는 박진감 넘치는 영화를 잠시 보고 싶다 -> 나는 부엌에 어떤 존재가 있는지 확인하고 싶다 -> 나는 휴대폰을 되찾고 싶다 (이하 생략)

<체크리스트>

1. 목표를 실제로 원했는가?

2. 장애물을 극복하려고 했는가?

3. 분위기 혹은 특정 감정을 인위적으로 표현하려고 하진 않았는가?

4. 적극적인 태도로 임했는가?

2. 자신의 모든 경험을 활용해라

One thing, 감각기억

Diary.

벌써 새벽이다. 독백 연습을 미친 듯이 했다. 6년간의 열애 끝에 결혼을 약속했던 연인에게 배신당하는 장면이다. 그러나 너무 열심히 연습한 부작용인가? 뭔가 연습하면 할수록 처음보다 감정에 몰입되는 느낌이 들지 않는다. 무언가 반복되는 말투와 제스처에만 점점 익숙해지며 오히려 마음은 무뎌지는 기분이다. 분명 독백의 목표에 집중했고, 인물의 장애물을 극복하기 위해 애썼다. 답답하다. 계속 힘으로 쥐어짜서 연기하는 느낌이다. 왜 이렇게 마음이 텅 빈 느낌이 드는 걸까? 안 되겠다. 내일 눈 뜨자마자, 연습실부터 가자.

언화 :(연습실 거울을 보며) 집중하자, 집중...
“언제부터였어? 사람 갖고 장난치는 거...”
“네가 너무 원망스럽고, 그럼에도 아직 미련이 남아있는 내가 너무 한심해.” “그냥 꺼져줄래?”

코치 : (연습실을 들어오며) 웬일이냐? 이렇게 일찍?

언화 : 하...모르겠어요. 연기 너무 어려워요...

코치 : 그럼 뭐, 연기가 쉬웠으면 아무나 배우 됐게?

언화 : 아니, 코치님!

코치 : 깜짝이야. 화났어?

언화 : (답답해하며) 연기는 원래 많이 연습하면 안 좋은 건가요? 뭔가 하면 할수록 마음이 무뎌지는 느낌이에요.

코치 : 제대로 연습했으면, 하면 할수록 인물의 마음이 더 직관적으로 느껴지지. 내가 봤을 땐 연기 연습방법에 문제가 있는 것 같은데?

언화 : 독백의 목표랑 장애물도 찾았고... 상황과 유사한 저의 개인적인 실제 경험도 막 되뇌면서 해봤는데. 이
이상으로 어떻게 해야 해요?

코치 : (걱정스러운 표정으로) 너의 경험? 그걸 어떤 식으로 되뇌었는데? 거기에 문제점이 있는 것 같은데. 경험 그 자체보다는 감각기억을 활용해야지.

3 Solutions.

배우 지망생뿐만 아니라, 기성 배우 사이에서도 많이 알려진 낭설이 있다. '연기는 너무 많이 연습하면 기계적으로 변한다'라는 말이다. 오히려 연습하지 않고 날것의 느낌일 때가 더 좋은 연기가 나온다는 주장이다. 물론, 실제 촬영 현장에서는 영감에 의한 즉흥적인 날것의 연기가 더 좋을 확률이 높다. 그러나 배우는 영감에만 의존할 수는 없다. 역설적으로 이러한 영감이 자주 찾아오기 위해서는 치밀하고 반복적인 연습이 필요하다. 또한 배우는 같은 연기를 반복적으로 표현할 수 있는 기술을 갖추고 있어야 한다. 현장은 예측할 수 없는 환경에서 안정적으로 연기할 수 있는 배우를 원하기 때문이다.

그렇다면 도대체 어떻게 연습해야 무뎌지는 것이 아닌, 더욱 감각을 예리하게 만들 수 있을까? 그 원리는 우리의 감각 속 기억에 있다. 배우는 자신의 모든 경험을 연기적 재료로 활용하며, 감각기억을 불러일으킬 수 있어야 한다. 아래 내용의 일부는 세계적인 배우 훈련가인 '리 스트라스 버그'와 '우타 하겐'이 중요하게 강조했던 부분이 담겨 있다. 혼자 연습할 때 꼭 기억하자.

첫째, 오감을 깨워라

우리의 말은 3단계를 거쳐서 발화된다. 자극 -> 충동 -> 반응이다. 우리는 감각기관(시각, 청각, 촉각, 후각, 미각 등)을 시발점으로 외부의 자극을 뇌의 특정 부위로 전달한다. 이때 뇌는 충동을 느끼며, 그에 따른 신체적 반응을 일으킨다. 예를 들어 길을 가다 귀여운 강아지를 봤다면, 시각을 통해 '귀여운 강아지'의 이미지가 나의 뇌를 자극하고 "너무 귀엽다"라는 말과 함께 머리를 쓰다듬어주고 싶은 충동이 느껴질 것이다. 그리고 곧 충동에 따라 행동하는 자신을 발견하게 된다.

배우의 연기는 어떠한 자극으로부터 출발한다. 배우가 자극을 느끼지 못하면 충동은 생기지 않으며 진실한 연기는 불가능하다. 그렇기에 배우는 감각기관을 예민하게 활용할 수 있어야 하며, 이를 통해 필요할 때 감각기억을 다시금 생생하게 경험할 수 있는 훈련이 필요하다. 만약 더운 여름날, 갈증에 시달리는 연기를 해야 한다면 배우는 '척'이 아닌 오감을 통해 해당 감각기억(목마름, 열기, 땀 냄새 등)을 불러일으킬 필요가 있다. 이것이 가능해야 진실로 행동하고 싶은 욕구를 느낄 수 있게 된다. 이러한 감각기억은 반복될수록 무뎌지는 것이 아닌 더욱 강화된다.

둘째, 정서 기억법을 올바르게 활용해라

흔히 정서 기억법이라고 하면, 많은 배우 지망생이 메소드 연기를 떠올린다. 정서 기억법이란, 쉽게 말해서 극 중 상황과 유사한 배우 자신의 개인적인 경험을 떠올려서 몰입하는 방식이다. 예를 들어, 부모님이 교통사고로 돌아가셔서 장례식을 치르는 장면이다. 배우 자신은 아직 부모님을 잃은 적이 없다. 그러나 '만약 내가 부모님을 잃었다면'은 충분히 상상할 수 있다. 더 나아가 자신이 사랑하는 존재를 잃어봤던 경험을 되짚어보니, 과거 10년간 키웠던 강아지가 떠오른다. 이제 부모님을 잃어본 적은 없지만, 보다 구체적으로 사랑하는 존재의 부재가 찾아오는 상실감에 더욱 공감할 수 있게 된다.

그러나 위 과정에서 반드시 조심해야 할 점이 있다. 돌아가신 부모님 대신 강아지를 떠올리면서 연기하라는 뜻이 아니다. 극 중 상황과 유사한 배우 자기 경험을 기억하되, 그 대상 자체가 아닌 당시의 감각기억을 불러일으키는 것이다. 방금 예시에서 죽은 강아지를 만졌을 때의 차가운 온도, 죽은 동물의 표정, 몸에 나는 냄새 등의 감각기억을 재생하여, 극 중 부모님을 잃어버린 장면에 몰입할 수 있도록 마음의 불씨를 자극하는 것이다. 그랬을 때 주어진 상황 속 인물의 입장에서 진실하게 행동할 수 있게 된다. 따라서 '정서 기억법'이라는 표현보다는 사실 '감각 기억법'이라는 표현이 더 정확할 수 있다.

셋째, 평소 관찰일지를 작성해라

필자는 상상력의 원천은 경험의 재료에 있다고 믿는다. 그렇기에 배우는 평소 자기 생각과 느낌을 그냥 흘려보내면 안 된다. 인간은 개개인별로 하나의 우주이며, 독특한 개성을 지니고 있다. 자기 세계를 충분히 사유해야 한다. 그뿐만 아니라 주변 세계에 관한 관심도 필수다. 조금만 관심을 기울여봐도 캐릭터 창조에 활력을 줄 수 있는 다양한 재료들이 우리 주변에 존재한다. 가족, 친구, 직장, 동물, 식물 등 말이다.

자기 생각과 느낌을 텍스트로 시각화하는 것은 경험을 연기적 재료로 만드는 유일한 방법이다. 왜냐하면 무의식적으로 흘러갈 수 있는 기억을 언어로 정립함으로써, 사유의 힘이 길러지기 때문이다. 따라서 아래 2가지 형태로 배우 관찰일지를 작성하길 권한다.

첫째, 자신에 대한 관찰일지

둘째, 주변에 대한 관찰일지

관찰일지를 작성하는 데, 정해진 양식은 없다. 단 최대한 솔직한 언어로, 당시 느꼈던 감각기억을 자세히 기술하면 된다. 이 기록들은 분명 배우로서 엄청난 자산이자, 캐릭터 창조의 무기고가 될 것이다.

Conclusion.

반복적으로 연기 연습하면서, 감정을 무뎌지지 않게 더욱 강화하는 3가지 원칙을 살펴봤다.

1) 오감을 깨워라

2) 정서 기억법을 올바르게 활용해라

3) 평소 관찰일지를 작성해라

자신의 감에 의존하는 배우는 기술자가 아니다. 간혹 미디어에서 비치는 프로 배우들의 리허설 태도를 보고 오해하는 경우가 많다.

배우는 보이지 않는 곳에서 숱한 고민과 연습으로 자신을 무장한 뒤, 현장에서는 모두 내려놓고 자유롭게 노는 사람이다. 아래 훈련은 이번 장의 핵심을 다룬 연습 방법이다. 명확한 방법으로 치열하게 연습하자.

<u>핵심 훈련4. 오감으로 창조하기</u>

서 있는 자세에서 자신의 오감을 하나씩 감각해보자. 지금 눈앞에 보이는 것들, 눈을 감고 들리는 소리, 피부로 느껴지는 옷의 촉감과 온도, 혀로 전해지는 입안의 맛, 주변의 냄새를 각각 30초 이상씩 느껴본다. 이제 아래 상황을 통해 떠오르는 자신의 경험을 창조해 본다. 시각, 청각, 촉각, 후각, 미각 등 자신의 모든 감각기억을 재생한다. 휴대폰으로 스스로 녹화하며 창조한 상황 속에서 3분간 살아보자. 그 후 느꼈던 것들을 관찰일지에 작성한다.

<상황>

나는 바닷가에 놀러 왔다.

<체크리스트>

1. 실제로 감각기억을 경험하며 진행했는가?

2. 불필요하게 긴장된 신체 부위가 있었는가?

3. 상황을 충분히 즐기며 연기하고 있는가?

4. '~하는 척'을 하며 거짓되게 연기하는 부분이 있었는가?

핵심 훈련5. 정서 기억법 활용하기

자신이 현재 연습하는 독백 상황과 유사한 개인적인 경험을 되짚어 본다. 당연히 100% 인물의 상황과 일치할 수는 없으니, 부담감을 내려놓는다. 인물이 처한 상황을 떠올렸을 때, 직관적으로 떠오르는 자신의 개인적인 경험이면 된다. 이제 다음 5단계를 거쳐 정서 기억법을 활용한다.

1. 몸과 마음이 이완된 상태에서, 조용한 곳에서 눈을 감고 자신의 개인적인 경험을 구체적으로 상상한다.

2. 당시의 순간으로 돌아가서, 오감(시각, 청각, 촉각, 미각, 후각)으로 경험했던 각각의 감각을 자세하게 구술한다.

3. 당시 하고 싶었던 말을 어떠한 제약 없이 자유롭게 말한다.

4. 눈을 뜨고, 당시 했던 신체적 행동까지 함께 수행한다.

5. 정서적으로 고조가 되었을 때, 독백을 연기한다.

단계별로 진행 중 막히는 부분이 생기면, 다시 1단계부터 차근차근 시작해야 한다.

핵심 훈련6. 관찰일지 작성하기

배우의 관찰일지에 관해 정해진 양식은 없으나, 반드시 들어가면 좋은 3가지 항목이 있다. 아래 내용은 관찰일지 작성이 처음인 배우 지망생을 위한 추천 양식이다. 관찰일지 작성을 꼭 습관화하길 바란다.

<관찰일지 추천 양식>

1. 당시의 상황을 구체적으로 서술하시오.

2. 경험한 감각을 시각/청각/촉각/후각/미각 순으로, 구체적으로 서술하시오.

3. 떠오르는 자기 생각과 느낌을 자유롭게 서술하시오.

3. 역할의 상황을 구체적으로 체험해라

One thing, 체험

Diary.

오늘은 연습 시작 전에 일찍 와서, 코치님이 과제로 내준 인물 분석지로 열심히 캐릭터 분석 중이다. 막연히 상상만 하고 머릿속에 조각조각 떠다니기만 했던 인물에 대한 파편적인 이미지가 한층 구체화 된 느낌이다. 대본에 근거하여 캐릭터의 유년 시절, 신체적 조건, 성격, 습관, 경제적 위치 등을 자세히 작성하다 보니 인물에 대한 상상이 더 잘된다. 머리가 다소 아픈 작업이지만 재미있다. 그동안 내 연기 깊이가 왜 얕고, 무슨 캐릭터를 연기하든 다 비슷비슷했는지 알 것 같다. 이러한 인물에 대한 깊은 분석 과정이 없었기 때문이다. 끝까지 집중해서 해보자.

코치 : (연습실에 들어오며) 으 추워, 난방 좀 세게 틀어놓고 있지

언화 : 그래도 돼요? 저 혼자 있다 보니 눈치보여서...

코치 : 감기 안 걸리는 게 더 중요하지, 뭘 굉장히 열심히 적고 있네?

언화 : (멋쩍어하며) 어제 과제 내주신 인물 분석지 작성 중이에요

코치 : 오~ 벌써 거의 다 했네? 한번 읽어보자

언화 : (분석지를 보여주며) 확실히 하니까, 뭔가 제가 연기하려고 했던 인물이 명확하게 그려지더라고요. 바로 한번 연기해 볼까요?

코치 : (귀엽다는 듯이) 자신감 좋아, 오케이 해보자.

언화 : "이제 가져가, 나한테는 이제 혐오스러운 물건이야."
"너에 대한 기억, 향수, 물건 다 지워버릴 거야"
"나, 너 없이도 충분히 잘 살아"

코치 : 컷. 생각이 너무 많아 보여. 그러다 보니 움직임 하나하나에 힘이 잔뜩 들어가 있고. 눈도 너무 깜빡거려.

언화 : 아, 뭔가 인물에 대해 알겠는데... 제가 그리는 이미지가 잘 표현이 안 되는 기분이에요

코치 : (분석지를 보며) 분석 자체가 잘못됐다기보다는, 분석

후 인물에 대한 '체험 과정'이 아직 없어서 그래. 분석이란 결국 배우가 인물화 되는 데 있어서, 오작교 역할을 해줘야 해. 그저 지성에만 의존한 방식은 실질적으로 배우를 자극하지 못해.

3 Solutions.

잘못된 대본 분석 태도는 오히려 배우에게 독이 된다. 분석의 목적은 철저히 연기할 때 실질적으로 자극받기 위함이어야 한다. 인물과 가까워지지 못하는 분석은 머릿속 생각만 복잡하게 한다. 분석과 연기가 따로 놀지 않기 위해서는 '연기는 곧 체험'이라는 말에 주목해야 한다. 따라서 이번 장은 '스텔라 애들러 - 연기 방법론'의 일부를 핵심으로 다뤄보겠다.

먼저 대본 분석을 하기 전에, 대본에 대한 배우의 첫인상은 굉장히 중요하다. 온전히 집중할 수 있는 공간에서 대본을 한 번 폈으면 끝까지 읽어야 한다. 사람과의 만남에서 첫인상이 강렬히 기억되듯 대본도 마찬가지다. 아무리 바쁜 현대인이라도, 이 소중한 경험을 시끄러운 카페, 지하철 이동 간의 자투리 시간으로 낭비하면 안 된다. 대본과의 첫 대면이 끝났다면, 이제 아래 3가지 분석 방법을 통해 역할의 체험 과정으로 넘어가면 된다.

첫째, 과제 하듯 분석하지 말자

사실상 아직 수직적인 관계가 만연한 한국의 예술 작업환경에서 연출가, 교수님 등에게 보여주기식으로 분석하는 배우를 쉽게 찾아볼 수 있다. 분석은 누군가에게 검사받기 위한 것이 아니다. 배우 스스로 인물화 된 연기를 하기 위해 연구하는 일련의 모든 과정이 되어야 한다.

많은 연기 교육기관에서 분석의 중요성을 강조하지만, 정작 분석이 가져다주는 연기적 효용성을 느끼게 해주진 못한다. 왜냐하면 배우가 역할의 입장에서 행동할 수 있도록 자극하는 분석 방법을 대부분 교육하지 않기 때문이다. 분석은 펜과 몸이 함께 하는 것이다. 연기자의 분석은 지성적인 분석과 몸을 통한 직관적인 이해가 함께 이뤄져야 한다.

둘째, 대본 속 사실을 근거로 여행하듯 상상하자

대본은 인물에 대해 파편적인 정보만 제공한다. 나머지는 대본 속 사실을 기반으로 배우가 상상으로 창조해야 한다. 배우가 대본을 분석하는 과정을 정리하면 다음 3단계와 같다.

1. 대본 속 사실 체크 -> 2. 사실을 근거로 여행하듯 상상 -> 3. 즉흥 연기를 통한 체험

배우는 대본에 기술되어 있는 사실을 통해 끊임없이 Why를 질문해야 한다. 예를 들어, A라는 인물이 극 중 '주황색 옷을 좋아한다'라는 사실을 발견했다. 그러나 대본에는 '왜 주황색 옷을 좋아하는지'에 대한 정보가 없다. 이때 배우는 어떤 이유/사건으로 A

가 '주황색 옷을 좋아하게 되었는지' 상상해야 한다. 주의할 점은 구체적인 순간을 적극적으로 상상해야 한다는 것이다.

상상에는 2가지 태도가 존재한다. 적극적인 상상과 소극적인 상상이다. 소극적인 상상은 머릿속으로 상상하는 태도이며, 우리가 흔히 하는 공상과 같은 방식이다. 적극적인 상상은 VR 장비를 사용한 것과 같이 눈앞에서 그려내는 방식이다. 배우에게는 적극적인 상상이 필요하며 이것은 역할에 대한 체험이 된다.

셋째, 분석한 내용을 즉흥 연기로 체험해라

인물 분석지와 작품 분석지는 인터넷으로 검색하면 다양한 양식이 있음을 알 수 있다. 어떤 양식을 사용해도 상관없다. 중요한 것은 상상력을 통해 창조한 극 중 인물의 삶을 구체적인 순간으로 체험하려는 태도다.

예를 들어, 대본을 통해 A라는 인물이 '상습적인 소매치기 소년'이라는 사실을 파악했다. 이때 배우의 상상력을 동원하여 극 전체 맥락을 살펴봤을 때, A가 '하나뿐인 아픈 동생의 수술비를 모으기 위해서 소매치기를 했다'라고 가정할 수 있다. 그렇다면 A가 동생과 어떤 순간에 그러한 결심을 하게 되었는지 구체적으로 상상해 보는 것이다. 즉 당시의 장소, 시간, 이미지를 감각 기억(시각, 청각, 촉각, 후각, 미각)을 통해 창조하고 즉흥 연기로 살아보는 것이다. 이 과정을 통해 배우는 더욱 현실감있게 인물의 삶을 경험할 수 있게 된다. 이것이야말로 지성에만 의존된 분석이 아닌 배우의 상상력이 동원된 인물의 삶을 체험하려는 분석이다.

Conclusion.

지금까지 배우를 역할의 입장에서 행동할 수 있도록 자극할 수 있는 대본 분석 방법의 핵심을 살펴봤다. 아래 3가지만 기억해도 캐릭터 라이징에 도움받을 수 있는 분석 작업을 할 수 있을 것이다.

1) 과제 하듯 분석하는 태도 버리기

2) 대본 속 사실을 근거로 한 여행하듯 상상하기

3) 분석한 내용은 즉흥 연기로 체험하기

기억하자. 우리는 극 중 A라는 인물이 될 수 없다. A가 처한 주어진 환경에서 행동하며 체험할 뿐이다. 역할의 상황을 구체적으로 체험하자. 배우가 이 모든 것을 진실로 경험한다면 관객에게도 전해진다. 아래 핵심 훈련을 통해 인물의 삶을 경험하자.

핵심 훈련7. 가장 싫어하는 음식 소개하기

현재 자신이 가장 싫어하는 음식을 떠올린다. 그리고 눈앞에 상상한다. 이제 아래 지시 사항에 따르면서 가장 싫어하는 음식을 소개한다. 이 모든 훈련 과정은 휴대폰으로 녹화하여 반드시 모니터링 한다.

<지시 사항>

1. 가장 싫어하는 음식을 상상으로 보며 이미지를 소개한다.

2. 가장 싫어하는 음식을 상상으로 만지며 촉각적인 느낌을 소개한다.

3. 가장 싫어하는 음식을 상상으로 먹으며 맛을 소개한다.

<u>핵심 훈련8. 가장 기억에 남는 여행지 소개하기</u>

가장 기억에 남는 여행지를 떠올려 본다. 아래 지시 사항에 따라 당시의 감각적 경험을 하나씩 되뇌어 본다. 그리고 현재 그 여행지에 있는 것처럼 사람들에게 자유롭게 소개한다. 이 모든 훈련 과정은 휴대폰으로 녹화하고 반드시 모니터링한다.

<지시 사항>

1. 당시 여행지에서 봤던 시각적 이미지를 경험하며 말한다.

2. 당시 여행지에서 들었던 소리를 경험하며 말한다.

3. 당시 여행지에서 느꼈던 외부 온도, 습도 등 촉각적 기억을 경험하며 말한다.

4. 당시 여행지에서 맡았던 냄새를 경험하며 말한다.

5. 당시 여행지에서 느꼈던 미각적 기억을 경험하며 말한다.

6. 이제 눈을 뜨고 여행지를 사람들에게 자유롭게 소개한다.

핵심 훈련9. 여행하듯 상상하여 창조하기

현재 자신이 연습하고 있거나 하고 싶은 독백을 하나 선택한다. 아래 '스텔라 애들러 - 연기방법론'을 활용한 분석표에 따라 인물 분석을 진행하고 '여행하듯 상상하기' 항목에 기재한 내용을 모두 즉흥 연기로써 체험한다.

<분석표>

항목	대본 속 사실	여행하듯 상상하기
이름		
나이/성별		
경제적 위치		
학력		
시대/국가		
직업/일과		
습관		

가족관계		
주요 인물과의 관계		
지배적 갈망		
취미 / 관심사		
과거 주요 사건들		
내·외적 장애물		
가장 힘들었던 순간 3가지		
가장 행복했던 순간 3가지		

4. 내 연기의 불씨를 상대방에게 찾아라

One thing, 교감

Diary.

내일은 연습실에서 씬 발표회가 있는 날이다. 그동안 코치님이랑 짧은 개인 독백 위주로 연기연습을 했다면, 이번에는 파트너와 함께 한 장면을 연기하는 방식이다. 아무래도 혼자 하는 것보다는 상대방이 있으니까, 무언가 의지 되는 느낌이다. 어젯밤에 의상이랑 소품도 미리 다 준비했다. 오늘 자기 전에 얼굴 팩만 하면 준비 완료다. 장면 분석도 열심히 했고, 이번 파트너하고는 서로 합도 잘 맞는 것 같다. 주어진 상황에서 진실하게 반응하며, 떨지 말고 연습한 대로만 해보자.

코치 : (모두에게) 다들 의상이랑 소품은 잘 준비했지? 좋네, 순서는 언화팀부터 시작하자.

언화 : 왜 하필 우리 팀이 첫 번째예요? 코치님...

코치 : (웃으며) 조용히 하고 어서 준비해

언화 : (한숨을 쉬며) 네, (시우에게) 나가자

코치 : (촬영 모니터를 보며) 자, 레디~ 액션!

시우 : "박 대리, 대학교 때 보고서 작성도 안 해봤어?"

언화 : "아, 아닙니다. 무슨 문제라도 있습니까?"

시우 : "문제? 지금 너 나랑 장난하는 거지?"

언화 : "네? 그게 무슨 말씀인지..."

시우 : "보고서를 이따위로 작성하고, 무슨 문제라도 있냐고?"

언화 : "그러니까 제 뜻은... 솔직히 과장님의 의도를 잘 모르겠습니다."

코치 : 컷. 둘 다 고생했고, 잠깐 모여보자.

(화면을 진지하게 보며) 어때 보여?

언화 : 뭔가, 각자 대사 의도는 잘 전달되는 것 같은데... 대화하는 느낌이 안 들어요

코치 : 맞아, 두 배우가 서로 교감하지 않고, 각자 연기만

열심히 해서 그래.

시우 : 열심히 분석한 대로 연기했는데, 막상 상대방이 제가 상상했던 것과는 다른 느낌으로 연기해서 당황했던 부분도 있었어요.

코치 : 대사 분석은 배우에게 '인물에 대한 틀'을 제공할 뿐이야. 실제 연기를 할 때는 분석은 내려놓고, 그간의 연습을 믿으며 상대방과 교감해야 해.

3 Solutions.

모든 연기는 어떤 대상과의 상호작용이다. 만약 독백이라면 상황에 따라 대상이 자기 자신이 될 수도 있다. 대상의 범위는 생명체가 아닌 무생물까지 무엇이든 가능하다. 배우는 반드시 연기할 때 어떠한 대상에게 이야기하고 있는 것인지 명확하게 규정해야 한다. 왜냐하면 배우의 연기는 항상 대상에 대한 반응으로 시작하기 때문이다. 위와 같은 상황은 많은 배우 지망생이 쉽게 저지르는 실수 중 하나다. 배우 자신의 연기 계획에만 너무 성실했던 나머지, 가장 중요한 대상과의 호흡을 놓친 경우다.

교감의 사전적 정의는 "서로 접촉하여 따라 움직이는 느낌"이다. 인간이 행하는 가장 작은 움직임은 호흡 활동이며, 말의 시작도 호흡에서 출발한다. 결국 교감이란 두 배우 간의 호흡 접촉으로 이뤄진다. 세계적인 배우 훈련가 '샌포드 마이즈너'도 연기에 있어서 가장 중요한 요소를 교감으로 손꼽았다. 지금부터 소개할 3가지는 샌포드 마이즈너의 방법론 일부를 참고하여 핵심적으로 설명한 것이다. 반드시 자신의 연기에 적용해 보자. 연기는 혼자 하는 것이 아니다.

첫째, '0'인 상태에서 진실하게 행동해라

배우에게 가장 큰 적은 긴장이다. 긴장은 배우의 모든 창의력과 자연스러움을 앗아 간다. 따라서 배우는 심리·신체적 긴장감에서 스스로 해방하여 이완된 상태를 유지해야 한다. 이때 이완이란, 힘을 빼고 축 늘어진 상태가 아니다. 마치 페널티킥 상황에 놓인 골키퍼와 같이 어디로 들어올지 모르는 축구공을 반사적으로 막아낼 수 있는 심리·신체적 상태를 말한다. 이것이 배우가 연기할 때 가져야 할 '0'인 상태다. 그렇기에 배우는 타인의 평가를 두려워하는 태도와 자신을 한계 짓는 태도에서 심리적으로 자유로워져야 하며 지속적인 신체 훈련을 해야만 한다.

배우는 '0'인 상태가 되었을 때, 자의식에서 해방되며 자유롭게 반응하고 창조할 수 있는 영감이 샘솟게 된다. 비로소 배우가 주어진 상황 속에서 진실하게 행동할 준비를 갖추게 된 것이다.

둘째, 연기는 리액션에서 시작된다

많은 배우 지망생이 연기를 시작할 때 리액션을 놓치는 경우가 많다. 자신이 연습하고 계획한 연기를 보여주기에 급급한 것이다. 이러한 조급함은 자연스러운 연기와 멀어지게 한다. 나의 첫 대사는 직전 상황에 대한 반응으로 인한 언어적 행동이다. 연기의 메커니즘은 자극 -> 충동 -> 반응의 과정으로 이뤄진다는 사실을 꼭 기억해야 한다. 우리는 연기를 시작할 때 인물의 반응을 자극할 대상에 집중해야 한다. 대사의 불씨는 내가 아닌 늘 상대방(대상)에게 있다. 이것을 깨닫고 인물의 상황에서 진실하게 행동했을 때 자연스러운 연기는 따라온다.

실제 생활에서 우리의 대화도 서로 간의 지속적인 상호작용으로 이뤄진다. 나의 연기를 시작하게 하는 대상의 자극에 적극적으로 반응(리액션)하라. 내 대사를 표현하는 데 집중할수록 상대 배우와 호흡하기란 점점 어려워질 것이다. 대사는 어떠한 자극에 대한 반응이자, 언어적 행동이다. 배우는 대사와 대사 사이를 해석하고, 대상과의 어떤 상호작용으로 인해 대사가 발화된 것인지 상상해야 한다.

셋째, 목표를 갈망하며 상대방과 교감해라

인물의 목표와 장애물을 찾았더라도, '목표' 자체를 표현하려 하거나 상대방과의 교감에만 집중한 나머지 인물의 목표를 잃어버리는 예도 있다. 이러한 경우는 배우를 진실한 연기에서 멀어지게 한다. 내 연기의 불씨는 대상에게 존재하지만, 인물의 목표는 끊임없이 원하고 있어야 한다. 그래야 방향성을 잃지 않고, 주어진 상황 속에서 진실하게 인물의 삶을 경험할 수 있다. 배우는 인물의 목표를 원하며 어떠한 자의식도 없이, 상대방(대상)에 의한 충동으로 자유롭게 연기해야 한다. 이러한 태도는 배우로 하여금 극 중 상황 속에서 현존을 느끼게 한다. 현존이란 '현재 살아 있음'을 뜻하며 이것은 배우가 역할로서 살아 숨 쉬고 있음을 느끼게 해주는 감각이다.

Conclusion.

연기는 혼자 하는 것이 아닌, 대상과의 역동적인 상호작용으로 이뤄진다. 아래 3가지는 배우가 대상과 교감하며 진실하게 행동할 수 있도록 돕는 핵심 문장이다. 반드시 기억해서 체화하자.

1) 배우 자신의 '0'인 상태 찾기

2) 리액션으로 연기 시작하기

3) 목표를 원하며 대상과 교감하기

배우가 연기할 때 만나는 가장 큰 장애물은 긴장과 자의식이다. 그러나 우리는 늘 긴장된 삶 속에서 자의식에 의해 억압된 표현 습관을 지닌 채 살아가고 있다. 따라서 자유롭고 본능적인 연기를 할 수 있는 '0'인 상태의 몸과 마음을 회복해야 한다. 그리고 진실하게 행동해야 한다. 그뿐만 아니라 '자극 -> 충동 -> 반응'이라는 연기 메커니즘에 따라 배우(자신)는 자극받을 대상에 집중하고, 그로부터 출발해야 한다. 이러한 대상과의 일련의 상호작용이 곧 교감이다.

핵심 훈련10. 단순한 목표로 진실하게 행동하기

현재 자신이 있는 장소에서 단순하게 실행할 수 있는 목표를 찾아본다. 예를 들면 아래 3가지와 같은 것들이다.

1) 방 천장에 그려진 문양 세기

2) 현재 있는 장소의 가로/세로 길이가 몇 뼘인지 재기

3) 좋아하는 연예인 7명 손꼽기

위와 같은 단순한 목표를 행동하고 있는 자기 모습을 휴대폰으로 녹화한다. 대부분 긴장과 자의식 없이 자유롭게 행하고 있는 모습이 보일 것이다. 우리는 어떠한 연기를 하더라도 이때 경험한 '목표를 진실하게 행동하는 감각'을 잊으면 안 된다.

핵심 훈련11. 침묵의 독백 찾기

2인 1조로 아래 <제시 대사>에서 각자 상대방의 말을 들었을

때, 느껴지는 반응에 대한 속마음을 솔직하게 작성한다. 그리고 그것을 3초 이상 신체적으로 표현한 뒤, 대사를 한다. 이 모든 과정을 휴대폰으로 녹화하여 모니터링한다. 얼마만큼 상대방에 대한 자신의 반응(리액션)이 잘 전달되고 있는지 점검하라.

<제시 대사>

A : 춥다, 에어컨 좀 줄여줄래?

(속마음) :

B : 추워? 너 감기 걸린 거 아니야?

(속마음) :

A : 그런가? 모르겠어, 아무튼 온도 좀 올려줘

(속마음) :

B : 나는 더운 데, 5분만 땀 좀 식히고 줄이면 안 될까?

(속마음) :

A : 그래, 딱 5분이다. 나 추워죽겠어

(속마음) :

B : 알겠어, 엄살 좀 피우지 말고

핵심 훈련12. 마이즈너 테크닉 '반복' 훈련하기

아래 훈련은 '샌포드 마이즈너 테크닉'의 대표적인 훈련이다. 먼저, 훈련 전에 몸과 마음을 충분히 이완한 뒤, 상대를 마주 보며 관찰하고 각 단계에 따라 충동적으로 말을 한다. 이때 상대방에게 말하고 싶은 충동이 생기지 않는다면 기계적으로 상대방의 말을 반복해야 한다. 총 5단계이며, 2인 1조로 단계별로 최소 5분 이상 충분히 훈련을 진행한다.

<진행 방법>

1단계 - 상대방의 겉모습에 대해 말하고, 듣는 이는 그대로 반복한다.

ex) A : 넌 반바지를 입었어

B : 넌 반바지를 입었어

2단계 - 상대방의 겉모습에 대해 말하고, 듣는 이는 주어를 바꾸어 반복한다.

ex) A : 넌 반바지를 입었어

B : 난 반바지를 입었어

3단계 - 상대방의 행위에 대해 말하고, 듣는 이는 주어를 바꾸어 반복한다.

ex) A : 넌 한쪽 다리를 떨고 있어.

B : 난 한쪽 다리를 떨고 있어.

4단계 - 행위가 아닌 상대방의 심리 상태에 대해 말하고, 듣는 이는 주어를 바꾸어 반복한다.

ex) A : 넌 지금 웃음을 참고 있어.

B : 난 지금 웃음을 참고 있어.

5단계 - 객관적 사실(겉모습, 행위)과 심리 상태를 혼합하여 자유롭게 말하고, 듣는 이는 주어를 바꾸어 반복한다.

ex) A : 넌 지금 좋아하며 손을 모으고 있어.

B : 난 지금 좋아하며 손을 모으고 있어.

5. 당신의 상상을 믿어라

One thing, 상상

Diary.

pm. 11시. 방에서 대본을 뚫어지게 보고 있다. 내가 연기할 캐릭터는 어떤 모습일까? 키, 체형, 얼굴, 자주 짓는 표정, 몸짓, 버릇 등을 떠올려 보자. 직접 하나하나 그려보면 더 구체화 될 것 같다. 인물을 직접 그려보니, 뭔가 현재 인물이 처한 장면 전체가 생생하게 보인다. 지금 이 인물이 어떠한 정서를 느끼고 있고, 무엇을 원하고 있는지도 머릿속으로 이해가 된다. 내가 이 인물이라고 믿고 한번 움직여보자. 연기연습은 하면 할수록 점점 흥미로워진다. 그나저나 나는 야행성 인간인가? 오늘 밤도 다 잔 것 같다...

코치 : (연습실에 들어오며) 왜 이렇게 피곤해 보이냐?

언화 : (하품하며) 어젯밤에 갑자기 뭔가 연습이 잘되는 느낌이라, 새벽까지 연습했어요.

코치 : (웃으며) 어떻게 연습했는데?

언화 : '어제 이 인물은 도대체 어떤 사람일까?' 진지하게 생각해 봤어요. 그 리고 그림까지 그려봤거든요? 훨씬 더 무언가 장면이 직관적으로 이해되는 느낌이었어요.

코치 : 오, 좋은 훈련을 했네. 그림 그린 후에는 뭘 했어?

언화 : 그림을 그리니까, 인물이 이 장면에서 무엇을 하고 있는지가 보였어요. 그래서 내가 그 캐릭터의 모습을 마치 옷을 입었다고 생각하며 움직여봤죠.

코치 : (흥미롭다는 듯이) 좋아, 그럼 한번 연기해 볼까?

언화 : 네, 알겠습니다!

코치 : 자, 충분히 캐릭터 그려보고, 한번 놀아봐. 레디~ 액션!

언화 : "그래요, 내 방에서 나온 물건이에요"

"잘못된 거 있어요? 증거 없잖아요."

"이제 그만 돌아가세요, 그리고 그런 눈으로 사람 쳐다보지 마세요."

코치 : (흐뭇해하며) 오케이, 훨씬 더 인물에 가까워진 것 같네. 연기가 달라진 이유는 무엇 때문인 것 같아?

언화 : 이유는 잘 모르겠어요, 근데 앞으로 이 방법을 자주 활용해 보려고요!

코치 : 이 부분에 대해서는 할 이야기 정말 많지만, 가장 핵심적인 이유는 배우가 적극적인 상상을 통해 인물을 직관적으로 이해했기 때문이야.

3 Solutions.

상상력은 배우에게 가장 중요한 능력이다. 왜냐하면 배우는 극 중 상황을 인물의 입장에서 체험해야 하는데, 이러한 과정이 곧 상상이기 때문이다. 우리가 연기할 대부분의 인물은 우리 자신보다 훨씬 더 격동적인 삶을 살았으며, 뚜렷한 목표를 가진 채 살아가고 있다. 따라서 배우는 일반인보다 상상력이라는 그릇을 더 넓히는 훈련을 해야만 한다. 상상력이 풍부하고 그것을 표현할 힘이 있는 배우만이 역할의 스펙트럼이 넓은 배우가 될 수 있다.

앞선 장에서 말한 바와 같이 배우는 적극적인 상상을 해야 하며, 더 나아가 그 힘을 강력하게 활용할 줄 알아야 한다. 역할 연기를 함에 있어서 상상력의 힘을 가장 독창적으로 활용하는 방법을 구축한 사람은 미카엘 체홉이다. 그의 연기 방법론은 시대를 앞서나갔으며 과학적이고 철학적인 테크닉을 담고 있다. 이번 장에서는 그중에서도 누구나 쉽게 활용할 수 있는 방법 일부를 핵심만 소개하려 한다. 역할에 다가갈 때 아래 3가지의 내용을 꼭 활용해 보길 추천한다.

첫째, 인물과 대화를 나눠라

맡은 역할과 작품에 대한 섬세한 분석은 분명 필요한 작업이다. 그러나 이것이 앞선 장에서 말한 바와 같이 역할에 가까워지기 위한 전부인 방법은 아니다. 필자는 지성의 힘을 통해 대본을 해석하는 태도와 함께 상상력을 통해 역할을 직관적으로 이해하려는 태도가 동반돼야 창조적인 연기가 탄생한다고 믿는다. 특히 배우가 이러한 상상력을 적극적으로 사용하기 위해서는, 자신이 상상한 역할의 이미지를 그림으로 그려내는 방법이 아주 효과적이다. 자신의 머릿속 이미지를 그림으로 시각화하는 것은 훨씬 더 역할을 직관적으로 이해하는 데 큰 도움을 준다.

자신이 상상한 역할의 외형을 종이에 그리자. 정답은 없다. 잘 그릴 필요도 없으며, 나의 상상을 믿고 직관적으로 그려내는 것이다. 그리고 집중하기 편한 조용한 공간으로 이동하여 해당 이미지를 적극적인 상상을 통해 눈앞에 그린다. 인물이 눈앞에서 상상되었다면 궁금했던 점을 충분한 시간을 갖고 자유롭게 질문한다. 인물이 답을 줄 것이며, 비로소 그(그녀)가 이해될 것이다.

둘째, 가상의 신체 옷을 입어라

앞선 역할의 외형을 그려보는 과정을 통해 훨씬 더 인물이 구체화 되었을 것이다. 이제 역할의 외형(신체)을 입어보는 시도를 가져본다. 즉 가상의 신체 옷을 입는 것이다. 마치 인형 탈 옷을 입듯이 말이다. 이때 주의해야 할 점은 가상의 신체 옷을 준비 작업 없이 한 번에 입으려고 욕심부리면 안 된다. 자칫 막연해질 수도 있다. 우린 훨씬 더 정교한 상상력 작업이 필요하다.

역할의 팔은 어떤 모양일까? 가늘고 긴 팔일까? 두껍고 짧은 팔일까? 상상해 보자. 그러고는 실제 나의 팔을 상상한 역할의 팔로 변형시킨다. 이제 자유롭게 팔을 움직여보자. 다리도 역할의 다리로 변형하여 걸어본다. 이러한 과정을 놀이하듯 배우의 직관에 따라 자유롭게 진행한다. 상상력을 통해 역할의 신체를 탐구하고 부위별로 입어보는 것이다. 어느 정도 이 과정이 익숙해졌다는 느낌이 들면 눈앞에 역할의 신체를 그리고, 그 안으로 들어가 보자. 이제 다시 준비한 장면을 연기해 본다. 어떤 느낌이 드는가?

셋째, 인물의 중심을 찾아라

'중심'의 사전적 정의는 사물이나 행동에서 매우 중요하고 기본이 되는 부분이다. 여기서 말하는 중심이란 단순히 무게 중심을 뜻하는 것이 아니다. 우리에게는 각자만의 중심이 존재하며, 이것은 곧 개개인의 색깔을 드러나게 하는 원천이 된다. 우리가 앞으로 만날 모든 역할은 이러한 중심이 모두 존재하며 그 위치도 다르다. 배우는 역할의 중심을 발견해야 하며, 이것을 체화해야 한다.

인물의 중심을 특징짓기 위해서는 먼저 중립적인 중심의 위치를 알아야 한다. 이 위치는 우리의 심장이 있는 가슴 부근이라고 가정하겠다. 다소 도식적인 예시가 될 수 있지만, 이해를 돕기 위해 설명하겠다. 만약, 돈 계산이 잘 돌아가고 구두쇠인 A라는 인물이 있다. A의 중심은 어디일까? 아마 머리에 있을 것이다. 그렇다면 가슴에서 머리로 중심을 옮겨본다. 그리고 걸어보거나 간단한 일상적인 행동을 해본다. 감각이 예민한 사람이라면 중심의 변화만으로도 우리의 생각, 표정, 몸짓, 걸음걸이 등 모든 것이 미묘하게 조정되었음을 느꼈을 것이다. 우리는 자신이 맡은 역할의 중심을 찾아 탐구해야 한다.

Conclusion.

배우가 자신의 상상을 구체화하고, 직관적으로 인물화 하는 과정에 대해 살펴봤다. 배우의 창조적인 상상은 곧 현실이 된다. 이번 장의 핵심 문장 3가지를 다시금 되새겨보자.

1) 인물을 눈앞에서 상상하고 대화하기

2) 가상의 신체 옷 입기

3) 인물의 중심 찾기

배우가 맡은 역할에 다가가기 위한 가장 빠르고 쉬운 길이란 없다. 어떤 역할을 만나든 치열한 발버둥이 필요하다. 연기 방법론은 배우에게 캄캄한 어둠 속에서 불빛을 비춰주는 손전등과 같다. 섬세한 텍스트 분석을 통해서만 역할을 이해했던 배우라면, 이번 장을 통해 상상력을 통해 역할을 직관적으로 이해해 보라. 연기 방법론에서 무엇이 더 좋고 나쁨은 없다. 배우는 열린 마음으로 끊임없는 배움을 통해 자신만의 방법론을 구축해야 한다.

핵심 훈련13. 인물을 구체적으로 상상하며 대화하기

<독백 상황>

진영은 대학교 동기였던 민수의 장례식장에서 나오는 길이다. 이때 고등학교 동창이었던 민철이를 만나게 된다. 민철이도 민수와 동네 친구 사이였기에 조문을 드리고 나오는 길이었다. 둘은 커피숍에서 오랜만에 이야기를 나눈다. 어딘가 불안해 보이는 진영. 떨리는 목소리로 민철이에게 이야기를 건넨다.

요즘 잠이 잘 안 와. 꿈자리도 이상하고 입맛도 없어

그런 건 아니야, 그냥...

민수가 죽기 전에 나한테 자주 했던 이야기가 있거든?

맨날 밤마다 꿈에서 누가 자꾸 방문을 두드린 데

그래서 개꿈이라고, 평소 비타민C 좀 챙겨 먹고

꿈에서 자꾸 문 두드리면 그냥 열어주라고 그랬거든?

이 얘기가 민수와 마지막 통화였어.

그래 나도 아는데, 모르겠어. 나도 요즘 같은 꿈을 꾸고 있어.

위 독백을 보고 떠오르는 진영의 이미지를 그림으로 그려본다. 집중할 수 있는 조용한 공간으로 이동하여, 눈앞에서 진영을 상상하고 궁금한 점을 자유롭게 질문한다.

핵심 훈련14. 가상의 신체 옷 입기

진영과의 대화가 끝났다면 이제 가상의 신체 옷 입기 작업을 한다. 마치 인형 탈을 입듯 진영의 외형을 입는다. 그 감각으로 가벼운 일상생활 행동을 연습한다. 예를 들어 걷기, 이 닦기, 방 청소하기 등을 진행한다. 다시 독백으로 돌아와 휴대폰 카메라로 녹화하며 연기하고, 촬영된 영상을 모니터링한다. 어떤 변화가 느껴지는가? 관찰하고 탐구하자.

핵심 훈련15. 인물의 중심 찾기

이번에는 진영이라는 인물의 중심은 어디일지 상상해 본다. 그리고 해당 부위에서 인물의 충동과 에너지가 흘러나온다고 상상하며 가벼운 일상생활 행동부터 연습해 본다. 예를 들어 걷기, 이 닦기, 방 청소하기 등을 진행한다. 인물의 중심 위치에서 일상생활이 익숙해졌다면, 대사가 아닌 독백 상황에만 놓여 연습한다. 끝으로 인물의 중심 위치 감각을 갖고 대사를 연기한다. 반드시 휴대폰 카메라로 녹화하며 촬영된 영상은 모니터링한다.

6. 경제적으로 움직여라

One thing, 신체 인식

Diary.

어제 늦게까지 연습실에서 연기연습 후, 친구들과 과음한 탓인가? 낮에 아르바이트하는 내내 칼칼한 국물을 너무 먹고 싶었다. 퇴근 후, 집에서 라면 한 그릇을 먹으니 속이 다 풀리는 느낌이다. 기분이 좋다. 배우가 되기 위해 하루하루 도전하는 나 자신도 그렇고 연기 자체가 어렵지만 점점 흥미롭게 다가온다. 지금 느끼는 이러한 감정과 신체적인 느낌까지 너무 소중하다. 설거지 후 바로 관찰일지에 작성해야겠다. 일상에서 소소한 행복감을 느꼈을 때, 어떤 느낌인지 기록하고 싶다. 이렇게 하루하루 쌓이고 있는 나의 관찰일지는 훗날 배우로서 큰 자산이 될 것이라 믿어 의심치 않는다.

언화 : (책상 서랍을 뒤지며) 응? 어디 갔지? 분명 여기뒀는데... 아 설마? 연습실에 두고 왔나...(초인종 소리가 들린다)

언화 : (문밖으로 나가며) 누구세요?

코치 : 나야

언화 : 오, 코치님 어쩐 일이세요?

코치 : (배우일지를 보여주며) 이거 연습실에 두고 갔더라, 보물창고를 이렇게 버리고 다녀도 되는 거야?

언화 : 아 제가 진짜 정신머리가 없나 봐요, 요새... 그나저나 이거 전해주려고 여기까지 오신거에요?

코치 : 그럴 리가, 다음 주에 단편영화 촬영을 너희 집에서 하기로 했잖아. 콘티도 미리 그릴 겸, 지나가다가 한번 구경하러 왔어

언화 : 맞다, 코치님 집이랑 우리 집이랑 한 정거장 거리죠? 좋아요, 누추하지만 들어오세요

코치 : 동선은 한번 상상해 봤어? 어때 연습해 보니까 할만해?

언화 : 휴대폰으로 가촬영하면서 연습해 봤는데, 뭔가 제 연기가 지저분한 것 같아요. 대사 의도를 잘 전달해야겠다는 생각이었는데, 제스처도 필요 이상으로 많아 보이고... 무엇보다 템포가 단조로워서, 제 씬이 뭔가 지루한 느낌 이었어요.

코치 : 연기의 시작점(조형성)이 불분명해서 그래. 템포도 단조로운 이유는 배우가 '집중'하려고 노력하다 보니, 실제 인물로서의 템포 감각을 놓친 거야. 잠깐 봐줄 테니까, 한번 해보자.

언화 : 지금요...?

코치 : 당연하지. 자, 레디 액션

3 Solutions.

인간은 경제적인 동물이다. 그 이유는 인간은 본능적으로 게으른 성향을 지니고 있기 때문이다. 따라서 대부분 사람은 최소한의 노력으로 최대 효과를 얻고 싶어 하는 심리가 있다. 이러한 심리는 인물을 연기할 때도 꼭 기억하고 있어야 한다. 열심히 연기하는 태도는 좋지만, 무엇을 향해 '어떻게 열심히 할 것인지'가 중요하다. 즉, 올바르게 효율적으로 에너지를 분배해서 연기해야 한다는 것이다.

이번 장에서 토대가 되는 연기 방법론은 '메이어홀드의 생체역학'이다. 가장 첫 번째 장에서 소개한 '스타니슬랍스키'의 제자이기도 한 그의 연기관을 살펴보면 정확성, 효율성, 반복성을 중요시 한다는 것을 알 수 있다. 이 3가지 요소는 무대와 매체 연기에 모두 통용되는 핵심적인 가치를 지니고 있다. 지금부터 하나씩 파헤쳐 보자.

첫째, 시작과 끝을 명확하게 연기하라

무엇이든 시작이 중요하다. 배우는 '자신의 연기를 어떻게 시작할 것인지' 끊임없이 고민해야 한다. 좋은 연기의 시작점에는 반드시 조형성이 내포되어 있다. 조형성이란 회화 작품에서 인물이 입체적으로 잘 표현되었을 때 주로 사용되는 말로, 연기예술에서도 아주 중요하게 통용되는 요소다. 즉 배우는 인물의 상황을 설명하는 방식이 아닌, 인물의 감정과 의도를 입체적으로 드러낼 수 있는 시작점을 찾아야 한다. 그랬을 때 훨씬 더 정확하고 효율적으로 연기할 수 있다.

무슨 일이든 끝은 또 다른 시작으로 이어진다. 이러한 진리는 연기에서도 마찬가지다. 어떠한 목표를 지닌 행동의 끝은 또 다른 행동의 시작을 만든다. 그렇기에 배우는 시작과 끝을 명확하게 연기해야 한다. 그래야 에너지 있게 극의 흐름을 타고 연기할 수 있다. 인물의 가장 작은 행동 단위인 비트별로 시작과 끝을 더욱 분명하게 표현하라. 인물의 의도와 심리변화를 더욱 정확하게 전달할 수 있을 것이다.

둘째, 자의식은 버리고 '자기 인식'을 해라

배우는 연기할 때 반드시 자의식을 벗어던져야 한다. 자의식은 연기에 1%도 도움 되질 않으며, 배우를 위축되게 만들고 역할에서 멀어지게 한다. 배우는 자의식을 경계하고 자기 인식을 해야 한다.

그렇다면 자의식과 자기 인식의 차이는 무엇인가?

연기에 있어서 자의식은 배우가 자신의 연기 결과에 대해 예상하여 판단하는 것을 말한다. 예를 들어, '지금 감정이 하나도 안 잡혀서 이상해 보일 거야', '관객이 나의 살찐 뱃살을 보고 비웃을 거야', '왜 파트너가 연습 때와는 다르게 연기하지?' 등과 같은 생각이다.

반면 연기에 있어서 자기 인식은 배우가 연기하고 있는 자기 신체를 인식하는 과정이다. 즉 역할로써 행동하고 있는 자기 몸을 경험하고 있는 상태를 말한다. 이러한 자기 인식은 배우로 하여금 개인의 감정에 함몰되지 않게 하고, 더욱 분명하게 인물의 의도를 전달할 수 있게 만드는 힘을 만든다.

셋째, 연기를 분절하고 템포와 리듬을 재구성하라

템포와 리듬은 음악에만 존재하지 않는다. 연기에도 템포와 리듬이 존재하며 사람의 감정을 자극하는 데 가장 중요한 요소로 작용한다. 예를 들어, 같은 장소를 걷더라도 우리는 빠르게 걸을 때(템포)와 느리게 걸을 때(템포) 정서가 달라진다. 그뿐만 아니라 같은 템포라도 어떠한 리듬으로 걷는지에 따라서도 정서가 달라진다. 이처럼 신체 움직임과 정서는 아주 긴밀하게 연결되어 있고, 배우는 이러한 인간의 메커니즘을 이해하고 연기할 때 활용해야 한다.

템포와 리듬을 연기에 활용하기 위해서는 분절을 통해 장면에서 가장 효과적인 템포와 리듬을 찾는 훈련이 필요하다. 왜냐하면 우리는 저마다의 습관적인 템포와 리듬 속에서 살고 있으므로, 이것을 넘기란 쉽지 않기 때문이다. 아주 쉬운 예로, 주변 친구들을 살펴봐도 각자의 성격에 따른 속도 범위 내에서 주로 움직인다는 것을 관찰할 수 있다.

분절의 사전적 정의는 "사고 및 행동에서, 전체와의 관련이 있으면서도 별도로 고찰할 수 있는 구성 부분"을 말한다. 즉 배우는 자신의 연기적 행동을 분절하여 인물로서 적합한 템포와 리듬을 찾고, 장면의 목표를 가장 효과적으로 전달할 수 있도록 재구성해야 한다. 이러한 부분을 단순히 감으로 접근할 경우, 배우 개인의 습관적인 템포와 리듬 속에 갇혀 극적으로 변화하기 어려울 것이다.

Conclusion.

우리의 몸과 마음은 서로 강력하게 연결되어 있다. 배우는 이러한 인간의 메커니즘을 활용하여, 정서적 접근을 넘어서 몸을 통해 인물을 이해할 수 있어야 한다. 그리고 '진실하게 연기하는 태도'와 함께 효과적으로 장면의 주제를 관객에게 전달할 수 있도록 재구성하는 능력까지 갖춰야 한다. 배우는 꼭두각시가 아닌 연기예술에서 분명한 책임을 갖고 있는 창조자이기 때문이다.

1) 연기의 시작과 끝을 명확하게 하라

2) 자신의 연기를 판단하지 말고, 자기 인식을 해라

3) 가장 효과적인 템포와 리듬을 찾아라

이번 장에서 위 핵심 문장 3가지는 배우로서 당신의 연기를 보다 명확하고 자유롭게 그리고 리드미컬하게 만들어 줄 것이다. 꼭 기억하자.

핵심 훈련16. 행동 단위별로 시작과 끝을 명확하게 하기

아래 제시한 행동 동사 3가지를 보고, 각각 떠오르는 간단한 전 상황을 설정한다. 그리고 논리적 흐름에 따라 각 행동 동사를 진실하게 원하며 1분 이내의 즉흥 연기를 실연한다. 이 과정을 휴대폰 카메라로 녹화한 뒤, 체크리스트를 점검하며 모니터링한다.

<행동 동사>

기다리다, 경고하다, 설득하다

<체크리스트>

1) 연기의 시작과 끝이 분명하였는가?

2) 연기의 시작점에서 전상황에 대한 자신의 태도를 효과적으로 드러낼 수 있는 조형성이 있었는가?

핵심 훈련17. 자기 인식하며 행동하기

2인 1조로 아래 제시된 상황을 보고, 설정한 장면의 제목이 관객에게 잘 전달될 수 있도록, 자기 신체를 인식(경험)하며 즉흥 연기를 실연한다.

<상황>

중고차 딜러에게 차를 샀다. 집으로 운전해서 돌아가는 길에 차가 고장 나서 환불을 요청한다.

장면 제목 : 눈 뜨고 코 베이는 중고차 시장

A의 목표 : 나는 중고차 딜러에게 환불을 받고 싶다.

B의 목표 : 나는 고객의 돈을 환불해 주고 싶지 않다.

<체크리스트>

1) 자의식 없이 목표를 진실하게 원하며 행동하였는가?

2) 목표를 이루기 위해 행동을 하는 자신의 신체를 인식(경험)하였는가?

핵심 훈련18. 분절을 통해 장면의 템포와 리듬 찾기

 제시된 상황을 보고, 작품 제목 / 목표 / 장애물 설정한다. 2분 이내로 연기하며 녹화한다. 그 뒤 아래 5단계를 따라 차근차근 훈련을 진행한다.

<상황>

비가 억수같이 내린다. 우산이 펴지질 않는다. 어머니의 유품이었던 모자가 날아간다.

작품 제목 :

목표 :

장애물 :

1단계. 비트별로 분절하며 연기하기

- 연기에서 비트란 최소한의 행동 단위를 뜻한다. 녹화된 연기를 보며, 자신의 연기를 비트별로 분절한다. 조금 더 쉽게 말하면 영상편집자가 마치 영상을 컷 편집하듯 최소한의 행동 단위별로 자신의 연기를 끊어보라는 것이다. 마치 자신이 로봇처럼 느껴질 수 있지만, 훈련의 과정이니 분절하며 연기하는 모습을 녹화한다.

2단계. 템포와 리듬 재구성하기

- 분절하며 연기하는 모습을 모니터링하며 자신이 설정한 작품 제목을 가장 효과적으로 전달할 수 있는 템포와 리듬을 찾는다. 예를 들어, 장면에서 효과적이지 못했던 행동 단위는 삭제한다거나 더욱 속도감 있게 보여줘야 하는 부분은 템포를 올리거나 하라는 뜻이다. 다시 말해서, 자신의 연기를 관객에게 가장 잘 전달할 수 있는 최적의 방법으로 행동 단위의 템포와 리듬을 재구성하라는 뜻이다. 그리고 이를 녹화한다.

3단계. 모니터링 및 행동 동사 찾기

- 자신이 최적의 방법으로 재구성한 연기를 보며, 비트별로 행동 동사를 찾아본다. 행동 동사란 말 그대로 행동을 동사 형태로 명확하게 표현한 말이다. 예를 들어, 비꼬다, 찾다, 유혹하다 등과 같은 표현을 뜻한다. 이 과정에서 행동 단위들이 하나의 덩어리로 뭉쳐질 것이다.

4단계. 시작과 끝을 명확하게 연기할 것

- 녹화하며 다시 연기를 하되, 행동 동사가 명확하게 드러날 수 있도록 연기한다.

5단계. 모니터링하며 비교·분석하기

- 최초로 제시된 상황을 연기했을 때와 지금 연기했을 때의 차이를 비교·분석한다. 어떤 점이 달라졌으며 그 이유는 무엇인가?

7. 지금 여기에서 존재해라

One thing, 직관

Diary.

오늘은 팀원들과 함께 단편영화를 촬영하는 날이다. 몹시 긴장된다. 첫 주연을 맡은 만큼 책임감도 막중하게 느껴진다. 원래 같으면 아침밥도 든든하게 먹었을 텐데, 입맛이 없다. 촬영을 부디 무사히 잘 끝내고 싶은 마음뿐이다. 정신을 가다듬고 미리 나갈 준비를 하자. 촬영 장소에 먼저 일찍 도착해서, 콘티를 보며 이미지트레이닝을 해야겠다. 내 연기뿐만 아니라 완성도 있는 작품이 나올 수 있도록 최선을 다하고 싶다.

코치 : 먼저 와 있었네? 곧 촬영 스탠바이 될 거야. 조명 세팅도 거의 끝났고.

언화 : 네, 너무 떨려서요. 같이 나와주셔서 감사해요. 코치님

코치 : 네가 연기하는 데, 왜 내가 다 긴장되냐

언화 : 후, 잘할 수 있겠죠? 코치님도 첫 촬영 때 지금의 저 같았나요?

코치 : (웃으며) 더 했지, 거의 목각인형 수준이었어. 잘하려고 하지 말고, 그냥 해. 너 자신을 믿고

조감독 : 배우분들 촬영 들어가겠습니다. 모여주세요.

언화 : (대사를 되뇌며) "여름날 너와 함께 걷던 이 길이 떠올랐어, 벌써 1년 전이더라. 요즘 어때 너는? 잘 지내는 것 같던데..."

감독 : 자, 카메라 롤

오디오 감독 : 사운드 스피크

조감독 : (슬레이트를 치며) 1-1

감독 : 액션.

'연습했던 대로만 하자. 실수해도 괜찮아. 인생 마지막 촬영도 아니고 시작이잖아. 즐기자!'

감독 : (언화의 연기가 마칠 때쯤) 오케이 컷. 잠깐 모니터 앞으로 모여보세요.

언화 : 네, 알겠습니다.

감독 : (모니터링 하며) 언화씨, 감정이나 이런 건 좋은데 너무 굳어있어. 조금 더 편하게 해봐요. 그리고 의상팀! 화분 하나만 가져와 볼래요? 방금 연기에서 화분을 중간에 잠시 지긋이 보면서 과거를 회상해 봅시다.

언화 : (당황하며) 네, 네 알겠습니다!

코치 : (언화에게) 현장에서는 늘 상황이 바뀌는 거야. 여태까지 연습한 건 이제 놓아버려.

3 Solutions.

배우는 현장에서 늘 유연해야 한다. 연출의 의견, 환경 변화, 상대 배우의 연기 등 늘 변수가 따라올 수밖에 없기 때문이다. 그렇기에 많은 연습량이 필요하다. 현장의 다양한 변수에 유연하게 대처할 수 있도록 예측할 수 있는 변수에 대한 훈련과 오감을 넘어선 육감이 열려있어야 한다.

육감의 사전적 정의는 "오감 이외의 감각으로 사물의 본질을 직감적으로 포착하는 심리 작용"을 뜻한다. 배우는 이러한 동물적인 감각에 직관적으로 반응하고 선택할 수 있는 용기가 필요하다. 그러나 대부분 현대인은 충동을 억압하는 데 익숙하다. 그뿐만 아니라 예술계를 포함한 우리나라의 사회적 분위기는 작업방식에 있어서 수평적인 조직구조보다는 수직적 방식에 더 익숙하다. 이것은 배우와 연출 사이의 작업방식에서도 마찬가지다.

이번 장에서는 뷰포인트 연기 방법론의 철학을 바탕으로, 배우가 모든 가능성을 열어두고 자신의 직관에 따라 반응하고 창조할 수 있도록 핵심 3가지를 공유하려 한다.

첫째, 무엇이든 가능하다

배우는 개방적인 태도를 갖춰야 한다. 이것은 연습 때부터 실전에서 연기할 때까지 늘 간직해야 할 덕목이다. 이성적인 텍스트 분석도 중요하지만, 주어진 모든 환경 속에서 틀을 깨고 새로운 시선으로 극을 바라볼 수 있어야 한다. 그러기 위해서는 먼저, 현재 배우 자신을 에워싸고 있는 모든 것들에 주의를 기울이고 그들에게 자유롭게 반응해 보는 태도를 가져야 한다. 이것은 배우에게 어떠한 영감을 불러일으키게 하는 마법의 열쇠가 될 수 있다. 예를 들면, 나도 모르게 그 기능을 단정지었던 사물을 오브제로써 새롭게 보게 되는 등, 생각지도 못한 방식으로 창조적인 순간이 떠오르는 경우다. 기억하자. 연기에서는 무엇이든 가능하다. 절대 어떠한 단계에서든 고정된 것은 없다. 모든 것은 어느 때곤 뒤바뀔 수 있고 달라질 수 있음을 깨닫자.

둘째, 나를 움직이게 만드는 것들에 반응하라

배우는 자기 자신이 스스로에게 외치는 속삭임을 무시하면 안 된다. 이러한 내면의 속삭임을 필자는 충동이라고 생각한다. 뷰포인트 연기 방법론의 철학을 이 책에서 모두 다룰 수는 없지만, 그중 가장 소개하고 싶은 내용은 자의식에서 벗어나 자신의 직관을 믿고 나를 움직이게 만드는 것들과 교감하는 작업이다. 이것은 배우의 작업방식에 나타나는 많은 오류를 본질적으로 해결하게 하는데 큰 도움을 준다. 생각의 틀이 강한 배우, 상대방과 교감하지 못하는 배우, 창의력이 고갈된 매너리즘에 빠진 배우 등 모두에게 말이다. 배우는 내면의 속삭임에 솔직해질수록 자유로움을 얻게 된다. 곧 소개할 이번 장의 훈련을 통해 생각을 내려놓고 나를 움직이는 모든 것들을 경험하라. 지금 여기에서 존재함을 느끼게 될 것이다.

셋째, 내 몸의 선택을 믿어라

우리는 대부분 이성적 사고(정신)와 몸을 분리하여 생각한다. 또한 대부분 이성적 사고 활동을 육체적인 활동보다 고귀하고 신성시하는 경우가 많다. 그러나 우리는 성장함에 따라 몸을 통해 필요한 것을 학습하고 성장해 나간다. 사물에 대한 인식부터 추상적인 관념까지 모두 몸을 통해서 이해할 수 있다. 예를 들어 '시간'에 관해서도, 약속된 시간보다 '늦었다' 혹은 '일찍 도착했다'에 대한 인식은 A라는 사물이 B라는 사물보다 '뒤에 있다' 혹은 '앞에 있다'라는 인지 경험으로부터 이해하게 된다. 이처럼 우리는 몸을 통해 세상을 이해하고 경험한다.

배우는 몸의 감각을 깨워야 하며, 이를 통해 몸으로 전달되는 정보에 직관적으로 반응하는 능력을 키워야 한다. 어떻게 보면 이것은 별도의 훈련 없이도 이미 탑재된 자연스러운 인간의 능력 같지만, 현대인에게는 그렇지 않다. 우리의 몸은 굳어있으며 직관을 경계하고 자신을 끊임없이 의심하는 사회 속에 살고 있기 때문이다. 배우에게 직관은 곧 창조적인 연기를 불러일으키는 영감의 순간이다. 자신을 의심하지 말고 내 몸의 선택을 믿어야 한다.

Conclusion.

사실주의에 입각한 많은 연기 방법론의 최종 도착지는 결국 '인물로서 현존하기 위함'이라고 생각한다. 우리는 무대/촬영장에서 주어진 환경 속에 놓여 역할의 입장에서 행동해야 하며 '현재 살아있음'을 경험해야 한다. 그러기 위해서는 자연인으로 돌아가기 위한 배우 훈련이 필요하며, 이를 통해 자신의 고착된 심리·신체적 습관의 한계를 극복하고 자의식을 통제할 수 있어야 한다. 현재 당신이 무대/촬영장에서 '자유롭지 못함'을 느끼고 있다면 꼭 뷰포인트 연기훈련을 지속적으로 훈련하길 권장한다. 큰 도움이 될 것이다.

1) 연기예술에서는 무엇이든 가능하다

2) 자신을 움직이게 하는 것들에 반응하라

3) 내 몸의 선택을 믿어라

위 3가지 문장은 배우의 현존에 밑바탕이 되는 기본 태도들이다. 자신의 연기관에 단단히 뿌리내리도록 스스로 훈련하는 배우가 되

자. 이번 장의 핵심 훈련은 뷰포인트 요소 중 하나인 '환경/건축구조' 훈련 일부다. 이 훈련에서는 배우가 물리적 환경에 대한 지각에 따라 움직임에 어떠한 영향을 받는지 탐구하려는 자세가 중요하다.

핵심 훈련19. 공간 속에 존재하는 몸 인지하기

뷰포인트의 환경/건축구조 훈련에 들어가기 앞서서 공간 속에 존재하는 자신의 몸을 인지해 보자. 내 몸을 다시금 경험하는 과정에서 긴장된 부위가 느껴진다면 편안하게 이완시킨다. 우리는 생각만으로도 충분히 몸을 이완할 수 있는 동물이다.

1) 조용하고 편안한 공간에서 바르게 선다.

2) 바닥과 닿고 있는 발바닥과 몸의 무게를 느껴본다.

3) 현재 공간에 닿고 있는 내 몸의 뒷면을 스캔하듯이 느껴본다.

4) 현재 공간에 닿고 있는 내 몸의 윗면을 스캔하듯이 느껴본다.

5) 현재 공간에 닿고 있는 내 몸의 옆면을 스캔하듯이 느껴본다.

6) 현재 공간에 닿고 있는 내 몸의 앞면을 스캔하듯이 느껴본다.

7) 이제 눈을 뜨고 공간 안에 존재하는 내 몸을 인지하며 걸어본다.

핵심 훈련20. 나를 이끄는 대상과 교감하기

자신의 의지가 아닌 대상의 이끌림에 따라 주어진 물리적 환경과 교감하며 온몸으로 대화해보자. 어느 공간이든 좋다. 현재 자신이 머무는 장소 환경에서 감각을 열고 5분간 충분히 주변을 관찰한다. 환경 속에 존재하는 모든 대상을 나의 선택에 따라 자유롭게 교감하며 움직인다.

핵심 훈련21. 교감하는 대상을 충동적으로 바꾸기

외부자가 20초마다 박수를 한 번씩 친다. 이 신호에 따라 훈련자는 주어진 환경 속에서 교감하는 대상을 바꾼다. 훈련자는 박수 소리에 충동적으로 나를 이끄는 대상을 선택하고 교감해야 한다.

부록. 훈련일지 작성법

훈련일지를 작성해야 하는 이유.

배우에게 훈련일지는 창조적 순간에 다가가기 위한 발버둥의 기록물이다. 이것은 훌륭한 연기적 재료가 된다. 배우는 훈련일지 작성을 습관화해야 한다. 그럴 때 3가지의 긍정적 변화가 생긴다.

첫째, 지속해서 훈련하는 습관을 만드는 데 도움을 준다.

둘째, 자신의 사유 과정을 시각화함으로써 메타인지가 향상된다.

셋째, 스스로 부족한 부분을 집중적으로 훈련할 수 있는 방향성이 구체화 된다.

이 책의 독자라면, 꼭 훈련일지를 성실히 작성하는 배우가 되자. 훈련일지의 작성 여부가 당장 연기 실력에 큰 변화를 만들진 않지만, 시간이 쌓이면 쌓일수록 더 좋은 배우로 성장하게 하는 힘이 될 것이다. 아래 5가지 항목은 훈련일지 작성 양식이다. 참고하여, 작성해 보자.

[훈련일지 양식]

1. 진행한 훈련의 목적

2. 심리·신체적으로 경험한 것

3. 보완해야 할 점

4. 앞으로 필요한 훈련

5. 나 자신에게 해주고 싶은 말

배우에게 필요한 7가지 문장

지은이 오정훈

발 행 2024년 7월 26일
펴낸이 한건희
펴낸곳 주식회사 부크크
출판사등록 2014.07.15.(제2014-16호)
주 소 서울특별시 금천구 가산디지털1로 119 SK트윈타워 A동 305호
전 화 1670-8316
이메일 info@bookk.co.kr
홈페이지 www.bookk.co.kr

ISBN 979-11-410-9734-9